HELYNT

Richard Dennant

HELYNT Y FIDEO

addasiad

GWENNO HYWYN

Darluniau gan Janet Duchesne

Argraffiad Cymraeg cyntaf—Mehefin 1983
Cyhoeddwyd gyntaf ym Mhrydain gan Hamish Hamilton Ltd., 1981.

Teitl gwreiddiol *The Video Affair*

ISBN 0 85088 809 3

Cyhoeddwyd dan gynllun comisiynu'r Cyngor Llyfrau Cymraeg.

Dymuna'r cyhoeddwyr gydnabod cymorth a chyfarwyddyd Adrannau'r Cyngor Llyfrau Cymraeg a noddir gan Gyngor Celfyddydau Cymru.

Argraffwyd gan J. D. Lewis a'i Feibion Cyf., Gwasg Gomer, Llandysul, Dyfed

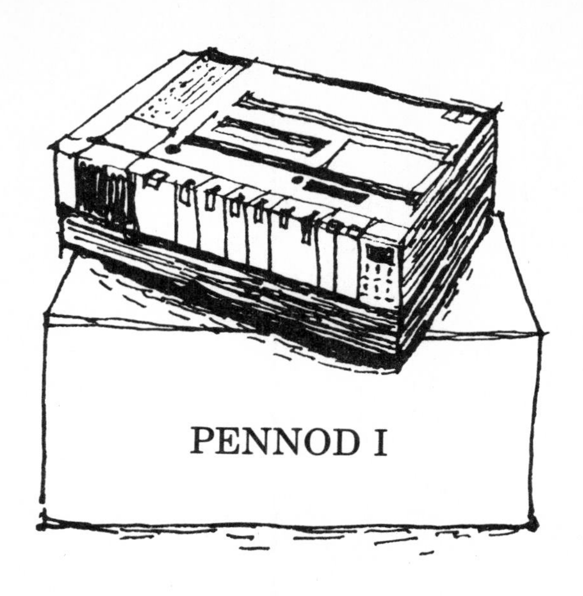

PENNOD I

Bachgen pengaled iawn oedd Huw.

'Paid â cherddded yn y ffos,' meddai ei fam pan oedd o'n dair oed. A chwarae teg i Huw, wnaeth o ddim cerdded yn y ffos. Mi eisteddodd ynddi.

Roedd o'n fachgen penderfynol hefyd. Dysgodd ei hun i nofio pan oedd o'n wyth oed. Ffordd syml iawn o ddysgu oedd ganddo—dim ond

neidio i'r dŵr a phadlo'n ffyrnig fel ci nes cyrraedd y lan.

Wrth gwrs, roedd pawb yn flin efo fo ond, yr wythnos wedyn, enillodd ras nofio yn yr ysgol. Fedrai ei rieni o ddim dweud y drefn ar ôl hynny.

Neidio i'r dwfn. Dyna sut y dysgodd Huw wneud pob dim. Dyna sut y dysgodd o reidio beic, a bore cynta'r gwyliau roedd o'n cael mynd i nôl ei feic newydd o'r siop.

Ar y radio, amser brecwast y bore hwnnw, y clywson nhw am y lladron yn y Siop Fideo. A dweud y gwir, doedd Huw ddim yn gwrando ar y radio. Breuddwydio'n braf am y beic newydd oedd o tra bod pawb arall yn sgwrsio a chlebran.

'Tewch!' meddai Dad yn sydyn a throi sain y radio'n uwch.

'. . . yn oriau mân y bore. Credir mai fan lwyd neu las tywyll oedd gan y lladron. Mae'r heddlu'n stopio ceir ac yn holi pawb yn yr ardal ond, hyd

yn hyn, nid ydynt wedi dal neb. Lladratawyd camerâu ac offer fideo gwerth £30,000 o'r siop.'

'Wel,' meddai Dad, 'dydw i'n synnu dim, a dweud y gwir. Roedd yr holl offer newydd yna'n y ffenest yn gofyn am gael ei ddwyn.'

'Mi fydd hi'n hawdd dod o hyd i'r camerâu, mae'n siŵr,' meddai Mam. 'Wedi'r cwbl, mae yna rif ar bob un ohonyn nhw.'

'Oes siŵr, ond mae'n rhaid dal y lladron cyn iddyn nhw roi'r pethau i rywun arall. Mi fydd hi'n amhosib wedyn. Unwaith fydd y camerâu a'r peiriannau wedi eu rhannu i wahanol bobl, fydd y rhifau'n dda i ddim.'

Rhifau, meddai Huw wrtho'i hun. Mi fydd rhaid i mi ddysgu rhif y beic newydd.

'Ga i fynd rŵan, Mam?' gofynnodd. Edrychodd Mam ar ei blât glân. 'Mi gei di gamdreuliad wrth lowcio dy fwyd fel yna,' meddai. 'I Beiciau Barcle rwyt ti'n mynd, mae'n siŵr?'

'Ble rwyt ti'n mynd wedyn—os bydd y beic wedi cyrraedd?' gofynnodd Dad.

'I'r lôn fach y tu ôl i gae'r ysgol?'

'Iawn,' cytunodd Dad. 'Mae honno'n lôn ddigon distaw. Cofia drio dy frêcs *cyn* mynd i lawr yr allt, nid wedyn.'

'A bydd yn ofalus,' meddai Mam. 'Does arna i ddim eisiau dy nôl di o Swyddfa'r Heddlu y bore cyntaf un.'

Cofio roedd hi, wrth gwrs, am aml i dro trwstan—y ffos, y nofio a phethau felly—ond doedd waeth iddi heb â dweud dim. 'Tyrd yn ôl erbyn un i gael cinio.'

'Iawn. Hwyl!'

I ffwrdd â Huw fel cath i gythraul. O'r diwedd, ar ôl yr holl ddyheu, roedd yr amser wedi dod. Dim ond ers chwech wythnos roedd yna siop feiciau yn y dref. Roedd Beiciau Barcle yn siop ardderchog a Mr. Barcle yn gofalu cadw'r modelau diweddaraf. Roedd Huw wedi gwirioni'n lân pan agorodd y siop. Byth oddi ar hynny roedd o wedi swnian a swnian ar ei rieni.

'Mae gen i lond y cadw-mi-gei o bres. Ga i . . .?'

'Mi gadwa i 'mhres bob wythnos. Ga i . . .?'

'Mae dyn Siop Gongl eisiau rhywun i fynd â phapurau newydd o dŷ i dŷ. Mi fydda i'n ddigon hen flwyddyn nesa' ac mi dala i'n ôl i chi bryd hynny. Mae'n rhaid i hogyn papur newydd gael beic da.'

Bachgen penderfynol iawn oedd Huw a doedd gan Dad a Mam ddim dewis ond ildio.

'Mi gei di fenthyg arian gynnon ni,' meddai Dad o'r diwedd.

'Er mwyn heddwch,' meddai Mam ond roedd ei llygaid hi'n chwerthin. A dweud y gwir, roedd hi a Dad yn falch bod Huw'n fachgen penderfynol.

'Mi dala i'n ôl i chi,' meddai Huw. 'Wir, mi dala i'n ôl pan ga i waith dosbarthu papur newydd.'

'Gawn ni weld!'

Roedd Huw ar ben ei ddigon. Roedd

am gael prynu'r beic rasio newydd oedd yn ffenest Beiciau Barcle. Ond siom gafodd o. Pan alwodd Dad ac yntau yn y siop roedd y beic wedi'i werthu. Ychydig o feiciau oedd ar ôl.

'Maen nhw'n mynd fel hufen iâ yn yr haul,' meddai Mr. Barcle. Roedd o bob amser yn siarad fel melin bupur. 'Does yna ddim digon i'w cael. Yn enwedig beiciau rasio. Diflannu fel eira ym mis Awst. Daliwch eich dŵr am dipyn. Mae yna feiciau eraill yn dod i mewn wythnos nesa'.'

'Fydd 'na un yr un fath â hwnnw oedd yn y ffenest?'

'Yr un fath yn union. Maen nhw'n siŵr o ddod wythnos nesa'.'

'Pa ddiwrnod?'

'Wel—dydd Mawrth ddywedwn ni, ia?'

'Ond mae'r gwyliau'n dechrau ddydd Sadwrn.'

'Dydd Sadwrn? Na, mae'n well i chi aros tan wythnos nesa' rhag i chi gael eich siomi. Dydd Llun efallai. Dydd Llun efo dipyn o lwc. Dydd Llun neu ddydd Mawrth. Dibynnu pryd ddaw'r lori. Os archeba i un heddiw . . .'

'Beth am ffonio?' awgrymodd Dad. Roedd o'n gweld Huw â'i ben yn ei blu braidd.

'Wel, meddai Mr. Barcle a chrafu ei ben yn araf. 'Wel—iawn—o'r gorau. Mi ffonia i 'ta. Ia, mi ffonia i. Fyddwn ni ddim gwaeth â thrio.'

'Wnewch chi ffonio rŵan?' gofynnodd Huw.

Roedd Mr. Barcle yn dechrau colli amynedd. Doedd o ddim yn edrych hanner mor glên rŵan.

'Mae'r arian gynnon ni—arian parod,' meddai Dad. 'Mae Huw wedi bod yn cynilo ers wythnosau.'

Roedd Mr. Barcle mewn cyfyng gyngor. Doedd o ddim yn gwybod beth i'w wneud. Doedd arno ddim eisiau ffonio—ond doedd o ddim am wrthod arian parod 'chwaith. Edrychodd ar y papurau decpunt glân yn llaw Dad a chrafodd ei ben eto gan droi ei wallt blêr yn araf am

ei fysedd. (Gwallt gosod oedd o'n bendant meddai Mam.) Yna—

'Gadewch y pres efo fi 'ta. Mi ffonia i'n syth bin. Mi gewch chi dderbynneb am y pres, wrth gwrs. Wedi cael fy nal droeon wyddoch chi—pobl yn archebu beiciau ac ailfeddwl wedyn.'

Cododd y ffôn a chlywodd Huw o'n siarad efo rhywun yn y ffatri ac yn archebu beic rasio yn union fel hwnnw oedd yn ffenest y siop.

'Gynta fedrwch chi. Ia, archeb arbennig. Beth am ddydd Sadwrn? Oes wir? . . . Wel, dyna lwc. Iawn. Anfonwch o yma 'ta.'

Rhoddodd y derbynnydd i lawr a throi at Huw. Roedd o'n gwenu o glust i glust, bron fel pe bai'n ei frifo i wenu.

'Dyna lwcus. Mae'r lori'n digwydd dod y ffordd yma ddydd Sadwrn.'

'Mi fydda i yma'n syth ar ôl brecwast,' addawodd Huw.

Ond doedd hynny ddim yn plesio. Ysgwyd ei ben a wnaeth Mr. Barcle.

'Waeth i ti heb. Ddôn nhw ddim cyn cinio'n siŵr i ti. Well i ti ddod yn y pnawn. Rŵan 'ta, Mr. . . .?'

Cyfrodd Dad yr arian i law chwyslyd Mr. Barcle a chafodd dderbynneb bwysig yr olwg ganddo. 'Roedd 'na dipyn o arian yn fan'na,' medda' fo wrth Huw wrth adael y siop. 'Gobeithio y bydd y beic yn plesio.'

'Ew, bydd siŵr!' meddai Huw.

Dyna pam roedd o'n mynd fel cath i gythraul y bore 'ma—bore cynta'r gwyliau. Newydd droi naw o'r gloch roedd hi, mae'n wir, ond doedd o ddim yn hollol siŵr o'r hen Mr. Barcle. Roedd o'n benderfynol o fod yn y siop i weld y beic yn cyrraedd—hyd yn oed os byddai'n rhaid iddo loetran drwy'r bore.

Doedd ganddo ddim dewis ond loetran pan ddaeth at y Siop Fideo. Roedd yna dyrfa o bobl yn sefyllian y tu allan i'r siop—yn pwyntio ac esbonio ac yn llygadrythu ar y ffenest oedd wedi torri'n deilchion. Roedd Sarjant Morus yno hefyd, yn cadw golwg ar bawb.

Roedd Huw'n adnabod Sarjant Morus yn iawn. Fo oedd yn dod i'r ysgol i ddysgu Rheolau'r Ffordd Fawr i'r plant.

'Rasmws!' meddai Huw gan sefyll yn stond ac edrych ar y ffenest.

'Dos yn dy flaen,' cyfarthodd y Sarjant. 'Fedrwn ni ddim gwneud ein gwaith yn iawn efo pobl dan draed.' Roedd o'n swnio braidd yn flin.

'Mae'n ddrwg gen i,' meddai Huw a chychwyn cerdded.

'Gest ti dy feic newydd?' Dyn clên oedd y Sarjant yn y bôn. Roedd arno eisiau dangos ei fod o'n ffrindiau efo Huw.

'Ar fy ffordd i'w nôl o.'

'Cofia di beth ddywedais i 'ta. Gan bwyll!'

'Ia, mi gofia i. Mae arna i eisiau pasio'r prawf beicio. Fyddwch chi'n hir yn dal y lladron?'

SIOP~FIDEO

M.OWEN
Ffôn-236
Y GONGL
Agored

'Pwy a ŵyr?' meddai Sarjant Morus gan godi ei ysgwyddau. Yna cafodd syniad sydyn. 'Oes gen ti ddiddordeb mewn rhifau ceir?'

'Oes.'

'Wel, os weli di fan las efo'r llythrennau AYK arni hi . . .'

'AYK—rhif Llundain ydy hwnnw.'

'Dyna ti. Rho wybod os weli di o.'

'Iawn,' meddai Huw ac i ffwrdd â fo.

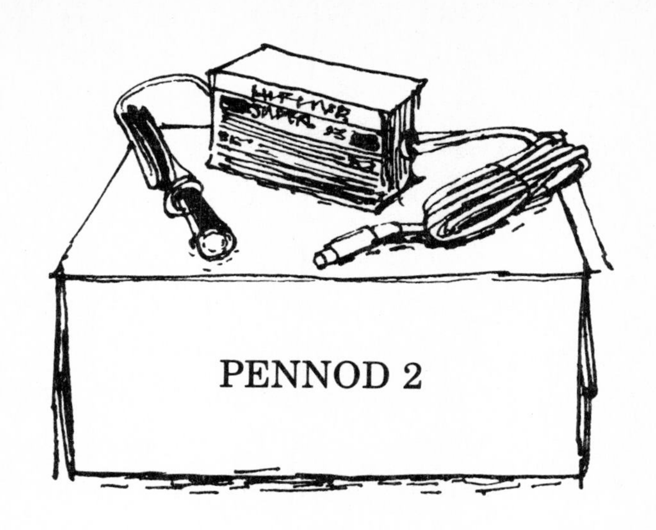

PENNOD 2

Roedd Huw ar bigau'r drain. Doedd ganddo ddim llawer o ddiddordeb heddiw mewn rhifau ceir! Hanner can metr ar ôl mynd heibio i'r Siop Fideo, trodd i lawr stryd fechan—stryd Beiciau Barcle. Anghofiodd yn llwyr am y rhifau a dechrau rhedeg i gyfeiriad y siop. Wrth ochr y siop roedd yna gatiau mawr ar gyfer loriau. Roedden nhw wedi cau ond roedd drws y siop yn agored led y pen.

I mewn â fo.

Safodd yn stond. Roedd rhywbeth yn bod. Doedd yna fawr o ddim yn y siop ac roedd Mr. Barcle wrthi'n dadlau'n groch efo cwsmer.

'Wel, does gen i 'run a dyna fo,' medda' fo.

'Ond rydw i'n aros ers hydoedd . . .'

'Finnau hefyd, mistar.' Cododd Mr. Barcle ei ysgwyddau. 'Dydy rhedeg busnes yn ddim ond cur pen y dyddiau yma. Rydw i'n dweud wrthoch chi rŵan—os na wellith pethau mi fydd yn rhaid i mi gau'r siop. Waeth i mi hynny ddim,' medda' fo ac edrych o'i gwmpas ar y siop wag. 'Fel'na mae pethau. Dowch yn ôl ddydd Llun.'

Aeth y cwsmer allan gan ddwrdio dan ei wynt. Trodd Mr. Barcle at Huw. 'Dydy dy feic di ddim yma 'chwaith,' medda' fo'n swta.

'Peidiwch â phoeni, Mr. Barcle. Mi arhosa i.' Trio bod yn glên roedd Huw ond digio a wnaeth Mr. Barcle.

'O na wnei di, 'ngwas i. Ddim fan'ma beth bynnag. Rydw i'n cau'r

siop—glywaist ti? Does gen i ddim byd i'w werthu—ti'n deall?'

Agorodd Huw ei geg yn llydan fel pysgodyn.

'O, ond rydyn ni wedi talu,' medda' fo'n syn.

'Ac mae gynnoch chi dderbynneb. Wythnos nesa' ddaw dy feic di—dyna beth ddywedais i 'ntê? Rŵan, hegla hi. Tyrd yn ôl ddydd Llun.'

Cerddodd Huw yn araf at y drws a'i galon yn ei sgidiau. Doedd o ddim yn deall yn iawn. Wrth fynd allan i'r stryd clywodd Mr. Barcle yn cau'r drws y tu ôl iddo a'i gloi hefyd. Rhoddodd ddau arwydd yn y ffenest—AR GAU ar un a DISGWYL STOC NEWYDD ar yr un arall.

Pwysodd Huw ei drwyn yn erbyn y ffenest. Drwy'r gwydr, gwelodd Mr. Barcle yn agor drws y tu ôl i'r cownter. Wrth fynd drwy'r drws estynnodd 'oriad o'i boced. Roedd o am gloi'r drws hwnnw hefyd, mae'n rhaid.

Safodd Huw'n stond ar y pafin. Roedd golwg benderfynol iawn arno. Trodd ar ei sawdl a cherdded i gyfeiriad y gornel.

Doedd yna ddim arlliw o feic yn y siop. Roedd hynny'n eitha' gwir. Ar y llaw arall, roedd Huw, â'i glustiau ei hun, wedi clywed Mr. Barcle yn ffon-io'r ffatri. A dydd Sadwrn ddywedodd o.

Iawn 'ta, meddai wrtho'i hun. Mi

arhosa i yma. Symuda i ddim nes daw'r beic.

Rhoddodd ei law yn ei boced a byseddu'r dderbynneb. Os nad oedd

Beiciau Barcle am agor, byddai'n rhaid iddo roi'r dderbynneb i yrrwr y lori. Wedyn, gallai gymryd ei feic newydd a mynd am dro.

O'r gornel, gallai weld yn glir i bob cyfeiriad. Pwysodd yn erbyn y wal. Roedd o'n barod i sefyllian yno am oriau pe bai raid.

Cas beth Huw oedd sefyllian. Doedd o erioed wedi arfer gwneud hynny, a dweud y gwir.

Ac, wrth lwc, fu dim rhaid iddo sefyllian yn hir rŵan. Cyn pen dim, gwelodd y lori feiciau'n troi i mewn i'r stryd, yn arafu ac yn aros wrth y siop. Neidiodd y gyrrwr allan. Neidiodd Huw hefyd. Heb aros i feddwl rhedodd fel mellten i lawr y stryd. Beth oedd ar ei ben o'n mynd mor bell? Pe bai'r gatiau mawr yn agor yn syth byddai'r beic yn diflannu cyn iddo gyrraedd. Rhedodd nerth ei draed ond, hanner ffordd i lawr y stryd, safodd yn stond. Roedd pethau rhyfedd iawn yn digwydd y bore 'ma.

Agorodd drws y siop a daeth anferth o ddyn mawr, tal allan. Rhoddodd ddarn o bapur i yrrwr y lori a chymerodd y beic—beic rasio newydd Huw!

'Hei!' gwaeddodd Huw â'i wynt yn ei ddwrn.

Diflannodd y dyn mawr i mewn i'r siop a'r beic efo fo. Cychwynnodd y lori. 'Hei!' gwaeddodd Huw eto wrth i'r lori fynd heibio iddo. Dim ond codi ei law yn glên a wnaeth y gyrrwr. Safodd Huw a gwylio'r lori'n troi'r gornel i'r stryd fawr.

Rhedodd Huw yn ei flaen. Sylwodd, wrth fynd heibio, bod y gatiau mawr wedi eu cau'n sownd. Aeth at ddrws y siop a throi'r dwrn. Agorodd y drws a rhuthrodd i mewn.

Roedd y siop yn wag. Doedd yna ddim golwg o'r beic newydd nac o'r dyn mawr ond roedd y drws y tu ôl i'r cownter yn gil-agored. Sleifiodd Huw heibio i'r cownter a thrwy'r drws.

Fe'i cafodd ei hun mewn cegin—hen gegin fudr, flêr a photeli gweigion ym mhob man. Roedd y drws cefn yn agored a gwelodd Huw lwybr concrit yn arwain i'r buarth. Dyna lle roedd ei feic newydd o, mae'n rhaid.

Ond roedd Huw yn dechrau petruso. Ddylai o fynd yn ei flaen? Doedd o ddim yn siŵr.

Wedi'r cwbl, tŷ rhywun arall oedd hwn. Beth a ddywedai Mr. Barcle, neu'r dyn mawr, pwy bynnag oedd hwnnw?

Ar y llaw arall, roedd arno eisiau ei feic. Rydyn ni wedi talu, medda' fo wrtho'i hun a chychwyn am y drws cefn.

Y munud hwnnw, clywodd lais dieithr. Doedd o ddim yn llais clên o gwbl—llais caled ac eto'n wichlyd rhywsut.

'Agored? Y drysau'n agored?' meddai'r llais. 'Wel dos i'w cau nhw'r ffŵl, cyn i ni i gyd gael ein dal.'

Clywodd Huw sŵn traed trwm yn dod i fyny'r llwybr. Doedd o ddim yn hapus o gwbl. Ddylai o ddim bod yno. Roedd hynny'n berffaith sicr. Roedd yn rhaid cuddio. Edrychodd o'i gwmpas yn wyllt ac yna sgrialu dan y bwrdd.

Daeth y dyn mawr i mewn, ymlwybro'n drwsgl fel eliffant drwy'r gegin ac i'r siop.

Ar ôl cael ei gefn o, symudodd Huw'n gyflym. Fedra' fo ddim aros dan y bwrdd—byddai'n siŵr o gael ei ddal. Edrychodd o'i gwmpas eto ond doedd yna unman i guddio yn y

gegin. Sleifiodd drwy'r drws cefn ac allan i'r buarth.

A dyna lle roedd y beic rasio newydd! Dyna lle roedd o'n pwyso'n flêr yn erbyn y wal. Doedd yna ddim amheuaeth o gwbl. Ei feic o oedd o heb os nac oni bai—yn union yr un fath â hwnnw oedd yn ffenest y siop yr wythnos cynt.

Yna'n sydyn teimlodd ei galon yn rhoi sbonc a'i frest yn dynn wrth iddo ddal ei wynt. Roedd rhywbeth arall yn pwyso yn erbyn y wal wrth ymyl y beic. Plât rhifau car oedd o. Plât rhifau car a'r llythrennau AYK arno!

Clywodd sŵn traed trwm. Roedd y dyn mawr ar ei ffordd yn ôl! Edrychodd o'i gwmpas yn wyllt ond doedd yna unman i guddio yn y buarth 'chwaith. Brasgamodd i gornel yr adeilad a sbecian yn ofalus.

Agorodd ei lygaid yn fawr. Beth ar y ddaear oedd yn digwydd? Y tu ôl i'r adeilad, yn union wrth ymyl lle roedd o'n sefyll, roedd yna beiriant chwistrellu paent. Roedd yna ddarn mawr o blastig yno hefyd a sleifiodd Huw y tu ôl iddo fel neidr i dwll. Clywodd y sŵn traed trwm yn dod i lawr y llwybr, yn troi'r gornel ac yn mynd heibio'n agos iawn ato fo.

Wrth sbecian drwy fwlch rhwng y darn plastig a'r wal, gwelodd Huw y dyn mawr yn mynd at gefn fan wen newydd ei pheintio. Roedd rhywun y tu mewn i'r fan achos clywodd Huw y llais caled, gwichlyd eto.

'Wyt ti wedi eu cau nhw, Bendi?'

'Do, siŵr.'

'A'u cloi nhw hefyd?'

'Wel do, medda' fi.'

'Lluchia'r bocsys 'na i fyny 'ta.'

Y tu ôl i Bendi'r dyn mawr, roedd pedwar bocs—bocsys trwm iawn yr olwg. Cododd Bendi'r pedwar efo'i gilydd fel pe baen nhw'n ddim ond plu a'u lluchio i fyny i'r fan.

Am sŵn! Clywodd Huw y bocsys yn drybedian y tu mewn i'r fan a'r llais gwichlyd yn gweiddi'n flin. Yna, syrthiodd un o'r bocsys yn ôl gan grafu cefn y fan a gadael marc glas ar ei ôl. Agorodd y bocs wrth daro'r llawr ac edrychodd Huw a'i geg yn agored. Camera fideo oedd yn y bocs!

'Sbia beth wyt ti wedi ei wneud, y lembo dwl!'

Daeth dyn bychan, gwydn i ddrws y fan a gweiddi yn ei lais gwichlyd.

Roedd o'n dawnsio i fyny ac i lawr yn ei dymer.

'Dwyt ti'n ddim byd ond tunnell o floneg! Dwyt ti ddim hanner pan! Mae 'na werth pum can punt yn fan'na wedi malu'n deilchion.'

Plygodd Bendi i godi'r camera ac edrych arno'n ofalus.

'O chwarae teg, dydy o ddim yn ddrwg,' medda' fo. 'Mi drwsia i o'n y munud.' Gosododd y camera'n ôl yn y bocs. 'Tyrd yn dy flaen—helpa fi efo'r hen wn-paent yma.'

Neidiodd y dyn bach, gwydn i lawr ac aeth Huw'n chwys oer drosto.

Lladron oedden nhw! Roedd ganddyn nhw lond fan o offer fideo wedi ei ddwyn ac roedd o mewn man peryglus. Roedden nhw'n dod—yn dod i nôl y chwistrell baent oedd wrth ei ymyl!

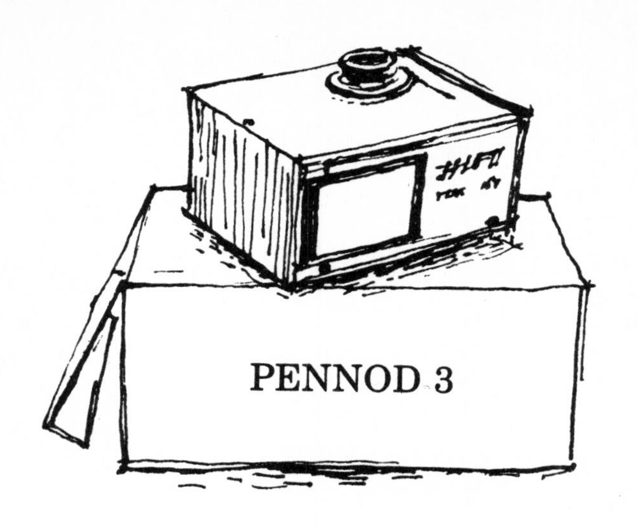

PENNOD 3

Beth ddylai ei wneud? Rhedeg nerth ei draed ynteu aros yn llonydd? Ond roedd hi'n rhy hwyr. Plygodd y dyn bach at y chwistrell a neidiodd Huw i fyny. Teimlodd bawennau anferth Bendi'n cydio ynddo a'i ddal yn dynn.

'Nefoedd!' meddai Bendi'n syn. 'Twm, sbia—mae 'na hogyn yma!'

Safodd Twm ac edrychodd Huw i'w lygaid—llygaid cul fel llygaid cath. Teimlodd ias oer i lawr ei gefn. Dydy hyn ddim fel chwarae lladron yn yr ysgol, meddai wrtho'i hun. Mae hwn yn lleidr go iawn. Mae ganddo fo lygaid creulon fel llygaid cath—a fi ydy'r llygoden!

'Mae o wedi'n gweld ni,' meddai Twm.

Doedd Bendi ddim yn hapus.

'Efallai . . .' dechreuodd.

Ond ysgwyd ei ben yn bendant a wnaeth Twm.

'Mae o wedi'n gweld ni. Dos â fo i'r fan.'

Roedd Huw'n crynu fel deilen ond roedd o'n rhy benderfynol i ddangos hynny.

'Nôl fy meic roeddwn i,' meddai. 'Dyna'r cwbl.'

'Beic?' Roedd llais Twm yn fwy gwichlyd nag arfer.

'Hwnna gymerais i o'r lori, mae'n rhaid,' meddai Bendi. 'Mae o'n pwyso yn erbyn y wal wrth y drws cefn. Efo'r platiau rhifau ceir.'

Aeth Twm i edrych. 'Mae o wedi gweld y rheiny hefyd felly. Wel, does

[illegible]dim byd i'w wneud. Rhaid i ni ei [illegible]u hi. Rho fo yn y fan—a'r beic hefyd rhag ofn i rywun ddechrau holi.'

Cododd Bendi'r peiriant chwistrellu yn un llaw ond laciodd o mo'i afael yn Huw o gwbl. Cododd o gerfydd ei war a'i hanner gario a'i hanner lusgo i gyfeiriad y fan. 'I mewn â thi,' meddai.

Teimlodd Huw ei hun yn cael ei godi a'i luchio fel pe bai o'n hedfan i ganol y bocsys yn y fan. Teimlodd y peiriant chwistrellu'n pwyso ar ei gefn. Taflodd Twm y darn plastig mawr i mewn hefyd cyn diflannu i flaen y fan. Clywodd Huw y llais gwichlyd yn galw.

'Hei, Wil! Tyrd! Symud!'

Doedd yna ddim lle i symud yng nghefn y fan yn enwedig ar ôl i Bendi ddringo i mewn a'i setlo'i hun wrth ymyl y drws.

'Mi fyddi di'n iawn,' medda' fo wrth

Huw. 'Gwna di fel rydyn ni'n dweud ac mi fyddi di'n iawn.'

Ond doedd Huw ddim yn teimlo'n iawn o bell ffordd. Yn sydyn, clywodd lais Mr. Barcle, 'Gad o fod, Twm.'

'Mae'n rhaid i ni fynd â fo,' meddai'r llais gwichlyd. 'Lluchia fo i mewn rhywsut.'

'Mr. Barcle!' gwaeddodd Huw. Roedd ei lais o'n crynu. 'Mr. Barcle! Help!'

Daeth Mr. Barcle i gefn y fan. Roedd o'n gwisgo dillad gwahanol i'r

arfer—dillad gyrrwr lori. Mwy na hynny, roedd ei ben o'n wahanol. Edrychodd Huw'n syn. Roedd Mam yn iawn am y gwallt gosod. Pen moel fel wy oedd gan Mr. Barcle.

'I mewn â fo 'ta,' meddai hwnnw a chan wthio a thynnu a dwrdio dan ei wynt llwyddodd i gael beic Huw i mewn i'r fan.

'Twm, agor y gatiau 'na a thyrd i eistedd yn y blaen efo fi.'

Caeodd drws y fan yn glep. Clywodd Huw sŵn y gatiau mawr yn agor a pheiriant y fan yn tanio. Caeodd y drws blaen a chychwynnodd y fan symud gyda'i llwyth o gamerâu, offer fideo, lladron ac un bachgen bach ofnus iawn, iawn.

A dweud y gwir roedd Huw wedi dychryn cymaint, roedd ei feddwl o wedi fferru. Roedd arno eisiau crio—eisiau deffro—eisiau gwybod mai breuddwyd oedd y cyfan. Ond wrth i'r fan fynd drwy'r gatiau a throi'n sydyn i'r dde cafodd ei daflu'n

FIDEO
Offer o Safon uchel
CAMERA FIDEO
BREGUS
FFILMIAU CARTREF
F AM FIDEO
Gwnaethpwyd yng

gïaidd yn erbyn cornel un o'r bocsys. Trodd y fan i'r dde eto a theimlodd hergwd arall yn ei ochr. Roedd ei ochr yn brifo. Nid breuddwydio roedd o. Roedd o'n hollol effro ac roedd y cyfan yn hunllefus o wir. Roedd o'n garcharor.

Trwy gornel ei lygaid, cafodd gip ar olwyn ei feic yn troelli'n araf. Roedd gweld y beic yno, ar ben y pentwr o focsys, yn gwneud iddo deimlo'n well. Ei feic o oedd o; roedd o wedi dod o hyd iddo ar ôl i Bendi ei ddwyn. Roedd gweld y beic yn codi ei galon.

Bachgen pengaled oedd Huw. Dechreuodd feddwl yn gyflym. Roedd y fan wedi troi i'r dde ac i'r dde eto i'r stryd fawr. Roedden nhw'n mynd allan o'r dref felly. Mae'n rhaid eu bod nhw wedi mynd heibio i Swyddfa'r Heddlu'n barod. (Tybed ydy Sarjant Morus yno rŵan, meddyliodd Huw, ynteu ydy o'n dal wrth y Siop Fideo?) Cyn hir, mi fydden nhw'n dringo'r allt y tu ôl i gae'r ysgol.

Roedd o'n llygad ei le. Teimlodd lawr y fan yn gogwyddo a chlywodd nodyn gwahanol yn sŵn y peiriant.

Ar y lôn fach ddistaw roedden nhw rŵan—y lôn lle y bwriadai fynd efo'i feic.

Edrychodd yn slei ar Bendi. Roedd y dyn mawr yn brysur yn archwilio'r camera a syrthiodd o'r bocs.

Doedd yna ddim golwg beryglus arno. Penderfynodd Huw fentro holi.

'Ble rydyn ni'n mynd?'

'Paid ti â phoeni,' meddai Bendi a throi'n ôl at y camera. Ar ôl munud neu ddau edrychodd ar Huw eto a golwg braidd yn bryderus ar ei wyneb.

'Dydy o ddim yn bell.'

Rhoddodd y fan sbonc a theimlodd Huw y gornel bigog yn ei ochr eto. Doedd dim lle i symud na llaw na throed yn y fan. Roedd Bendi, hefyd, yn eitha' anghyfforddus mae'n siŵr. Roedd o'n dweud y gwir felly: doedd-en nhw ddim yn mynd yn bell. Dech-reuodd Huw feddwl am ffordd i ddi-anc. Roedd Bendi'n fawr ac yn drwsgl ac yn ddigon araf ar ei draed. Rhyw bwdin o ddyn oedd Mr. Barcle hefyd. Ond beth am Twm, y dyn bach, gwydn? Hwnnw fyddai'r peryclaf.

Arafodd y fan a throi'n sydyn i'r dde eto. Dechreuodd ysgwyd a neidio i bob cyfeiriad. Rydyn ni wedi gadael y ffordd! meddyliodd Huw a rhoi ei ben yn ei ddwylo'n barod am y glec. Roedd ei feddwl wedi fferru eto. Fedrai o ddim meddwl am ddianc. Rowliai'r fan o ochr i ochr fel cwch ar fôr gwyllt a sŵn fel tonnau'n taro yn erbyn ei hochrau. Yna'n sydyn stopiodd a diffoddwyd y peiriant. Distawrwydd.

Dechreuodd Bendi straffaglio i'w draed a chlywodd Huw y drysau blaen yn agor. Yna, agorodd y drws cefn yn sydyn—Twm oedd yn sefyll yno.

'Fo gynta', Bendi,' meddai a'i lygaid oer yn disgleirio'n awchus.

Cydiodd pawen fawr Bendi yng ngholer Huw a theimlodd ei hun yn hedfan eto. Syrthiodd yn swp ar y glaswellt a theimlodd law Twm yn gafael ynddo.

'Aros di'n berffaith llonydd,' gwichiodd y llais crafog yn ei glust, 'a chei di ddim niwed.'

Daeth pen moel Mr. Barcle i'r golwg.

'Brysia efo'r stwff 'na, Bendi.'

Aeth Bendi ati i ddadlwytho. Taflodd y peiriant chwistrellu a'r darn plastig ar y gwair. Taflodd y beic newydd allan, hefyd, i ganol llwyn o ddrain. Roedd llaw Twm yn dynn ar goler Huw drwy'r amser ond gallai droi ei ben ryw ychydig. Edrychodd o'i gwmpas.

Mewn hen ardd wyllt roedden nhw. Roedd y glaswellt yn tyfu'n uchel a marciau olwynion y fan i'w gweld yn glir. O gwmpas yr ardd tyfai coed ifanc—y rheiny, mae'n debyg, oedd yn taro ochr y fan wedi iddyn nhw adael y ffordd.

Ar ben y bryn, coed ifanc yn tyfu wrth ochr y ffordd, hen ardd wyllt . . .

Wrth gwrs! Roedd Huw'n adnabod y lle'n iawn.

Cydiai Twm yn dynn o hyd ond mentrodd Huw droi ei ben ychydig eto. Ie! Dyna fo! 'Sgerbwd hen dŷ—y tŷ a losgodd yn ulw rai blynyddoedd yn ôl.

Roedd o'n cofio'r tân yn iawn. Bachgen bach oedd o ar y pryd—newydd ddechrau yn yr ysgol. Mi welson nhw'r fflamau'n y nos a chlywed yr injan dân. Roedd Huw, wrth gwrs, ar bigau'r drain eisiau gweld y tân ond, er ei fod mor benderfynol, chafodd o ddim mynd tan y bore wedyn. Roedd o wedi sylwi ar y lle droeon ar ôl hynny, wrth fynd heibio yn y car. Ers tro rŵan roedd y tŷ o'r golwg yn llwyr, wedi ei guddio gan y coed ifanc, newydd.

Doedd neb yn byw yno, wrth gwrs. Erbyn sylwi, roedd rhan o'r to wedi disgyn a'r drws yn agored fel ceg hen wrach. Roedd y ffenestri gweigion fel llygaid hefyd—y gwydr wedi malu ers talwm. Tyfai drain a mieri i fyny waliau'r tŷ. 'Sgerbwd oedd o a dim byd arall.

Erbyn hyn, roedd Bendi wedi taflu popeth ond y bocsys o'r fan. Roedd yna bentyrrau o'r rheiny—bocsys efo

CAMERÂU neu OFFER FIDEO wedi ei farcio'n glir ar eu hochrau.

'Brysiwch wir,' meddai Mr. Barcle.

'Beth am yr hogyn?' gofynnodd Twm yn ei hen lais annifyr.

Edrychodd Mr. Barcle ar Huw.

'Bendi.'

'Beth?'

'Dos â'r hogyn i'r tŷ. Cadw fo yno.'

'Yn lle?'

'Wel chwilia am le, y lembo. Ac er mwyn y nefoedd, cadw fo'n ddistaw.'

'Beth wnawn ni efo fo wedyn?' meddai Twm a sylwodd Huw ar ei lygaid eto—llygaid oer, creulon.

'Mi feddyliwn ni am hynny'n y munud. Dos rŵan, Bendi. Mi ddechreuwn ni ar y gwaith yn fan'ma.'

Gan afael yn dyner yn y camera efo un llaw, cydiodd Bendi'n dynn yng ngholer Huw a'i wthio i gyfeiriad y tŷ.

I mewn â nhw drwy'r drws cam ac i'r cyntedd. Roedd popeth ond y llawr a'r waliau wedi llosgi'n ulw. Roedd y glaw wedi hen bydru'r llawr hefyd. Camodd Bendi'n ofalus, fel iâr ar farwor, dros y prennau meddal, llaith. Ar ôl mynd hanner ffordd ar draws y cyntedd roedd pren y llawr yn teimlo'n galetach ac yn fwy sad. Doedd y glaw ddim yn cyrraedd i'r fan honno, mae'n rhaid. Cyn hir, arhosodd Bendi wrth risiau cul, tywyll.

'I fyny â thi.'

A Bendi'n anadlu ar ei war doedd gan Huw druan ddim dewis. Dringodd y grisiau cul, sigledig i'r llawr cyntaf. Ar ben y grisiau roedd amryw o ddrysau. Agorodd Bendi un ac wedyn un arall.

'Hy!' meddai'n swta. 'I fyny eto—ond paid â rhuthro—mae'r pren wedi pydru'n ofnadwy.'

Doedd dim angen dweud hynny wrth Huw. Ar y llawr uchaf, roedd y glaw wedi chwipio drwy ffenest wag a socian y llawr. Roedd hwnnw wedi pydru'n dwll ac, wrth wasgu heibio'n ofalus, gallai Huw weld drwy'r twll i lawr i'r cyntedd.

Cael a chael oedd hi i Bendi ddod heibio i'r twll. Roedd y pren yn gwegian dan ei bwysau.

'Whiw!' meddai wrth gyrraedd lle sad a gafael yn dynn yng ngholer Huw eto.

'Trwy'r drws yma.'

Mewn ystafell fechan roedden nhw. Roedd y grât yn llawn o huddygl a doedd yna ddim gwydr o gwbl yn y ffenest. Edrychodd Bendi ar y drws.

'Rôn i'n meddwl,' meddai a synnodd Huw wrth weld 'goriad rhydlyd yn y clo.

Dyna oedd y bwriad felly. Roedd Bendi am ei adael yn yr ystafell fach. Wel, doedd hynny ddim yn broblem. Fydda' fo ddim chwinciad chwannen yn dianc. Roedd pob drws a ffenest yn y tŷ wedi hen bydru.

Ond nid dyna a ddigwyddodd. Cloi'r drws o'r tu mewn a wnaeth Bendi a rhoi'r 'goriad yn ei boced.

Camodd at y ffenest ac edrych allan. Clywodd Huw sŵn y peiriant chwistrellu. Roedden nhw'n peintio'r fan eto felly. Mae'n rhaid eu bod nhw'n newid y lliw'n aml.

Eisteddodd Bendi a phwyso'i gefn yn erbyn y wal. Dechreuodd chwarae efo'r camera.

'Ydy o wedi torri?' gofynnodd Huw.

'Na. Rydw i wedi ei drwsio fo.' Roedd rhywbeth yn poeni'r dyn mawr. 'Dim gair, cofia.'

'Iawn,' meddai Huw. 'Ond pam?'

'Wel, i mi gael ei gadw fo i mi fy hun, siŵr.'

Am fêt! meddai Huw wrtho'i hun—yn dwyn oddi ar ei ffrindiau! Ond dyna fo—os lleidr, lleidr mae'n siŵr, meddyliodd.

Roedd llais yn galw o waelod y grisiau.

'Bendi!'

Cododd y dyn mawr, 'Beth sy?'

'Ydy'r drws 'na'n cloi?'

'Ydy siŵr.'

'Wel beth sy'n dy gadw di 'ta? Tyrd i lawr i beintio to'r fan.'

Tynnodd Bendi'r 'goriad o'i boced. 'Dyna'r gwaetha' o fod yn dal,' meddai. 'Dim smic gen ti rŵan. Mi ddo i'n ôl toc.'

Aeth allan a chloi'r drws. Clywodd Huw bren pwdr y grisiau'n gwichian wrth i'r dyn mawr fynd i lawr. Reit dda, meddyliodd, mi fydda i'n siŵr o glywed os daw rhywun. Wrth droi at y ffenest, gwelodd rywbeth ar y llawr lle roedd Bendi wedi eistedd. Edrychodd arno a'i lygaid yn pefrio.

Am ryw reswm—efallai am fod arno eisiau ei guddio neu efallai am ei fod yn rhy ddwl i feddwl—am ryw reswm roedd Bendi wedi gadael y camera ar y llawr!

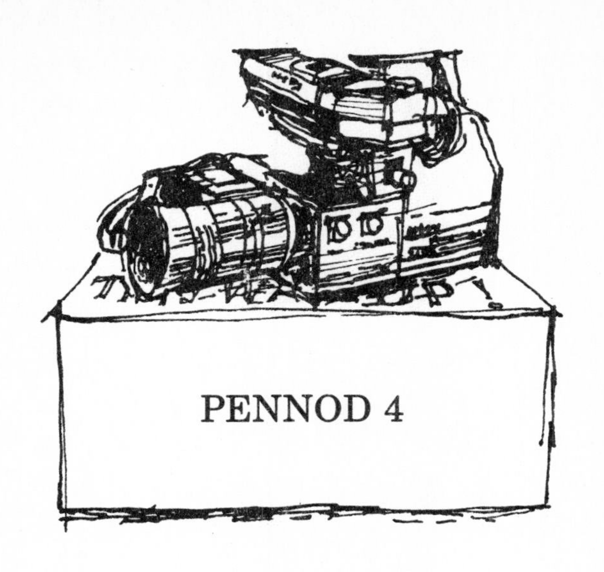

PENNOD 4

Roedd Huw wedi hen arfer efo camerâu. A dweud y gwir, roedd o wedi helpu ei dad droeon i wneud ffilm o'r teulu ar wyliau. Ond roedd camera fideo yn beth gwahanol.

Nid mor wahanol 'chwaith, erbyn edrych yn iawn. Roedd o'n fwy, wrth gwrs, ac yn drymach o lawer na chamera Dad. Roedd yna bob math o bethau cymhleth yn sownd ynddo hefyd. Ond roedd y glicied a'r ffenest fach wydr yn yr un lle—a'r rheiny oedd y pethau pwysig. Mae yna rif arno hefyd, meddai Huw wrtho'i hun. Roedd Mam yn iawn eto.

Edrychodd drwy'r ffenest fach ac anelu'r camera. Pan welodd o'r drws yn glir yn y ffrâm, pwysodd y glicied. Doedd o ddim yn siŵr a oedd o'n gwneud y peth iawn ond clywodd y camera'n canu grwndi yn ei glust. Oedd, roedd o'n gweithio. Roedd Bendi yn llygad ei le.

Roedd syniad yn tyfu'n ei feddwl. Syniad beiddgar, mentrus. Tybed a fedrai wneud ffilm fideo o'r lladron?

Hyd yn oed wedyn, byddai'n rhaid dianc rhywsut. Ac, wrth gwrs, byddai'n rhaid mynd â'r beic newydd efo fo.

Sbeciodd yn ofalus drwy'r ffenest wag. Roedd y tri wrth ymyl y fan—fan goch llachar oedd hi erbyn hyn. Roedd Bendi wrthi'n gorffen peintio'r to tra bod Twm ar ei liniau'n newid y plât rhifau. Sylwodd Huw ar y plât

newydd. OEM oedd rhif y fan rŵan—rhif Llundain eto. Roedd Mr. Barcle yn brysur efo'r darn plastig hirsgwar.

Stensil oedd o. Gallai Huw weld y geiriau'n glir—PEIRIANNAU PAROD CYF. Roedd Mr. Barcle yn peintio'r llythrennau'n ofalus efo paent du.

Roedd y tri'n brysur wrth eu gwaith. Cododd Huw y camera trwm a'i osod ar ei ysgwydd fel y gwelsai Dad yn gwneud droeon. Edrychodd yn ofalus drwy'r ffenest fach a phwyso'r glicied.

Cael a chael oedd hi. Yr eiliad nesaf gorffennodd Bendi ei waith a thaflu'r chwistrell baent o'r neilltu. Uwchben ffrwtian y peiriant clywodd Huw y dyn mawr yn gofyn,

'Be' wnawn ni efo'r hogyn, 'ta?'

'Cael gwared ohono fo, siŵr,' meddai Twm.

'Ond fedrwn ni ddim . . .'

'O medrwn. Mae o wedi'n gweld ni, cofia.'

'Ydy, ond . . .' Trodd Bendi at Mr. Barcle.

'Mae'r cenau wedi gweld y stwff hefyd.' Roedd llygaid cul Twm yn disgleirio'n greulon.

'Wel . . .' meddai Mr. Barcle.

'Mi fedrwn ni ei adael o'n fan'ma.' Doedd y dyn mawr ddim yn hapus o gwbl.

Ond ysgwyd ei ben a wnaeth Twm. Aeth Huw yn oer drosto wrth ei glywed yn dweud, 'Dim peryg yn y byd. Trefnu damwain fach—dyna'r ateb. Ia, damwain fach,' meddai. Roedd o'n amlwg wrth ei fodd. 'Aros di'n fan'ma Bendi. Mi drefna i ddamwain i'n ffrind bach. Ar y llawr ucha' mae o?'

Nodiodd Bendi'n araf.

'Dod am dro ar ei feic newydd a sbecian o gwmpas yr hen dŷ 'ma. Dyna a ddigwyddodd. Peth gwirion i'w wneud mewn hen dŷ, a dweud y gwir—peryglus hefyd.' Chwarddodd Twm yn isel a throi i gyfeiriad y tŷ.

Safodd Bendi ac edrych arno'n mynd. Roedd golwg anhapus iawn ar y dyn mawr.

Yn yr ystafell fach yn uchel dan do'r tŷ roedd Huw'n crynu fel deilen. Doedd hyn ddim yn digwydd! Breuddwydio roedd o! Ond na—clywodd sŵn traed Twm yn cychwyn i fyny'r grisiau.

Doedd dim gobaith iddo fo ddianc. Roedd y ffenest yn rhy uchel o lawer. A beth am y camera? Pe bai Twm yn sylweddoli ei fod wedi tynnu lluniau'r criw byddai ar ben arno'n syth. Roedd hi ar ben arno beth bynnag, ond byddai'r camera'n helpu'r heddlu i ddal y lladron, pe câi'r heddlu afael arno!

Ei guddio fo? Ond ble? Edrychodd ar y lle tân. Oedd, roedd yna le o dan y grât. Gwthiodd y camera'n frysiog i ganol y lludw a'r huddygl. Roedd rhywbeth caled yno. Hanner bricsen! Dim llawer o help mewn brwydr ond gwell na dim.

Cydiodd yn y fricsen a'i wasgu ei hun yn erbyn y wal wrth y drws. Safodd yn hollol lonydd. Prin roedd o'n anadlu ac roedd pob gewyn yn ei gorff yn dynn, dynn. Ble roedd Twm? Roedd pob man yn berffaith dawel fel pe bai'r tŷ hefyd yn dal ei wynt. Mae arno eisiau fy nychryn i, meddyliodd Huw. Hoeliodd ei lygaid ar ddwrn y drws ac aros iddo symud.

Yna'n sydyn clywodd sŵn. Sŵn pren yn gwegian. Roedd Twm wedi cyrraedd y twll yn y llawr!

Cydiodd Huw'n dynnach yn y fricsen.

Clywodd glic y 'goriad. Dechreuodd y dwrn droi. Cododd Huw y fricsen a'i hyrddio'n galed yn erbyn wal y ffenest.

CRASH! Trawodd y fricsen y wal a chwalu'n deilchion. Agorodd y drws a rhuthrodd Twm ar draws yr ystafell. Y tu ôl iddo, sleifiodd Huw fel cysgod ar hyd y wal ac allan drwy'r drws. Oedd, roedd y 'goriad yno o hyd. Tynnodd Huw y drws ar ei ôl a'i gloi. Whiw! Roedd o'n rhydd ond doedd ganddo ddim amser i loetran. Camodd yn ofalus dros y twll yn y llawr a chychwyn i lawr y grisiau.

Clywodd Twm, y tu ôl iddo'n cicio'r drws ac yn rhuo fel tarw cynddeiriog. Roedd Huw heibio i'r lle peryglus erbyn hyn a dechreuodd garlamu i lawr y grisiau wrth glywed Twm yn ei hyrddio ei hun at y drws. Y munud nesaf daeth sŵn rhwygo a malu. Syrthiodd y drws yn glec a saethodd Twm drosto fel bwled o wn—yn syth at y twll yn y llawr! Roedd y prennau'n gwegian, yn sigo—a'r munud nesaf syrthiodd y cwbl, y prennau, y drws a Twm yn eu canol, i lawr i'r llawr isaf un.

Safodd Huw'n llonydd am funud. Ar ôl sŵn byddarol y cwymp roedd y tŷ'n ddistaw iawn a dim ond cwmwl o lwch yn dangos lle roedd Twm yn gorwedd yn swp dan y domen bren.

Rhedodd Huw'n ei flaen i lawr y grisiau a heibio i'r llwch—a sefyll yn stond. Roedd Mr. Barcle, ei gnawd meddal yn ysgwyd fel jeli, yn rhedeg i mewn i'r cyntedd. A Bendi y tu ôl iddo!

Doedd dim amser i bendroni. Trodd Huw a rhedeg fel mellten drwy ddrws agored ar y dde. Mewn ystafell wag roedd o eto—ystafell fawr a ffenest ddi-wydr lydan yn ei phen draw. Rhedodd ar draws y llawr simsan a neidio drwy'r ffenest i ganol y drain. Sgrialodd i'w draed a, heb feddwl bron, rhoddodd hergwd galed i ffrâm y ffenest.

Roedd o wedi gwneud y peth iawn. Syrthiodd y ffrâm drom yn union ar ben wy Mr. Barcle. Clywodd Huw glec galed wrth i'r pren daro asgwrn ac yna sŵn corff meddal yn syrthio'n swp i'r llawr. Distawrwydd.

Rhedodd Huw yn ei flaen heibio cornel y tŷ. Yno, lai nag ugain metr i ffwrdd, gorweddai ei feic yn y llwyn drain wrth ochr y fan. Anelodd amdano fel hebog am ei brae.

Ond, cyn iddo gyrraedd, clywodd sŵn rhedeg trwsgl. Bendi! Roedd Bendi'n sefyll rhyngddo a'r beic.

Safodd y ddau'n stond a llygadu ei gilydd. Doedd dim byd yn symud yn yr ardd a'r unig sŵn oedd ffrwtian y peiriant chwistrellu. Camodd Bendi yn nes.

Safodd Huw fel delw. Roedd o wedi mentro cymaint. Roedd o o fewn trwch blewyn i lwyddo. Fedra' fo ddim boddi yn ymyl y lan fel hyn. Doedd hynny ddim yn deg.

Edrychodd o'i gwmpas yn wyllt ond roedd yn amhosib dianc.

Trawodd ei lygaid ar rywbeth wrth ei draed. Y peiriant chwistrellu! Cydiodd ynddo, ei anelu a gwasgu'r glicied.

Ffrwydrodd Bendi yn llanast coch. Roedd o'n baent i gyd, yn baent coch llachar. Rhoddodd sgrech a syrthiodd ar ei liniau, ei ddwylo dros ei lygaid. Roedd paent yn ei drwyn, yn ei glustiau ac yn ei geg. Gollyngodd Huw y chwistrell, neidio dros Bendi a thynnu ei feic o'r drain. Gan hanner cario'r beic, rhedodd nerth ei draed drwy'r coed ac i'r lôn. Sbeciodd yn ôl yn frysiog wedi cyrraedd y ffordd ond roedd popeth yn iawn. Doedd neb yn dilyn.

Neidiodd ar ei feic ac i ffwrdd â fo i gyfeiriad y dref, ei draed yn prin gyffwrdd â'r pedalau wrth fynd fel y gwynt i lawr yr allt, i lawr ac i lawr yn gynt ac yn gynt.

PENNOD 5

Pwyso'n braf yn erbyn drws Swyddfa'r Heddlu, yn hamddena ar ôl treulio bore wrth y Siop Fideo, roedd Sarjant Morus pan gyrhaeddodd Huw.

Cyrhaeddodd fel corwynt. Gwibiodd y beic newydd i mewn drwy'r gatiau mawr, osgoi fan heddlu o drwch blewyn a tharo'n galed yn erbyn grisiau'r swyddfa. Syrthiodd Huw oddi arno.

Ymsythodd Sarjant Morus. Roedd golwg awdurdodol iawn arno.

'Dyma'r beic newydd?' holodd yn sarrug.

Cododd Huw'n ofalus. Roedd o'n iawn, a diolch byth roedd y beic yn iawn hefyd.

'Ia. Mi ddywedodd Dad bod eisiau trio'r brêcs ond ches i ddim amser. Roedd yn rhaid i mi'ch gweld chi.'

'Dim amser, wir! Rwyt ti'n lwcus na chest ti ddamwain go iawn. Pam rwyt ti ar gymaint o frys?'

'Rydw i'n gwybod ble mae'r lladron.'

Edrychodd y Sarjant yn syn. 'Beth?'

A dywedodd Huw yr hanes i gyd.

Hanner awr yn ddiweddarach, roedd Huw'n eistedd yn swyddfa'r Sarjant pan ddaeth neges radio oddi wrth y plismyn a aethai ar frys gwyllt i'r hen dŷ ar y bryn. Gwrandawodd y Sarjant a'i geg a'i lygaid yn

agor yn fwy ac yn fwy. Crafodd ei ben ac edrych yn od ar Huw.

'Glywaist ti?' meddai. 'Mae'r tri dihiryn yn yr ysbyty. Mae un wedi torri bron pob asgwrn yn ei gorff, un arall wedi cracio'i ben, ac mae'r trydydd wedi hanner boddi mewn paent coch. Dim ond ti oedd yno? Wyt ti'n dweud y gwir?'

Ond roedd yn rhaid i'r Sarjant goelio.

'Wel,' meddai, 'rydw i wedi clywed am fechgyn yn cwffio ond mae hyn . . .' Crafodd ei ben eto. 'Ond dyna fo. Mae'r camerâu a'r offer fideo i gyd yn iawn. Dim byd ar goll.'

'Oes, mae yna un ar goll,' meddai Huw ac eglurodd am y camera a guddiodd yn y grât.

'Rydw i'n cofio'r rhif hefyd,' meddai.

'Wel da iawn ti. Mi fydd gynnon ni ddigon o dystiolaeth rŵan i garcharu'r dihirod 'na am sbel go lew. Wyddost ti beth? Mi wnei di blismon da rhyw ddiwrnod,' meddai'r Sarjant. 'Dyna rwyt ti am ei wneud?'

'Nage wir,' meddai Huw. 'Mae arna i eisiau bod yn bencampwr rasio beiciau.'

Yn sydyn, sylwodd Huw ar y cloc ar wal y swyddfa. Roedd hi'n wyth munud i un!

'O na!' medda' fo. 'Rydw i wedi addo

bod yn ôl erbyn un. Mi fydd Mam yn wyllt gacwn. Mi ddywedodd hi nad oedd arni eisiau fy nôl i o Swyddfa'r Heddlu.'

'A fydd dim rhaid iddi hi,' meddai'r Sarjant a neidio ar ei draed. 'Tyrd— mi rown ni'r beic yng nghefn y fan. Mi gei di fynd adref mewn steil.'

Petrusodd Huw. 'Wel,' meddai, 'a dweud y gwir, mi fyddai'n well gen i fynd o'ch blaen chi. Beic newydd ydy hwn ac maen nhw'n disgwyl i mi ddod adref arno fo.'

Pan gyrhaeddodd Huw adref ar gefn ei feic newydd a'r fan yn ei hebrwng, daeth y cymdogion i gyd allan i weld. Roedd rhai, wrth gwrs, yn gweld bai ar yr heddlu am wastraffu amser ac arian ond buan iawn yr ailfeddylion nhw o glywed yr hanes. Roedd Huw yn arwr gan bawb.

A'r prynhawn hwnnw, benthyciodd Huw gopi Dad o Reolau'r Ffordd Fawr a dechrau dysgu tudalennau tri-deg-chwech i dri-deg-saith a chwe-deg-pedwar i chwe-deg-pump ar ei gof. Roedd o'n benderfynol o basio'r prawf beicio. Ac wrth gwrs, mi basiodd.

Bachgen penderfynol iawn oedd Huw.

Llyfrau eraill yng Nghyfres Corryn:

HELYNT Y FIDEO	Gwenno Hywyn
Y BLAS SY'N CYFRI	Alwena Williams
Y PEIRIANT AMSER	Irma Chilton
DIWRNOD TAN GAMP?	Gruff Roberts
SBECTOL AM BYTH	Delyth Lewis
CASTELL NORMAN	Siân Lewis
MATH A'R FÔR-FORWYN	Meinir Pierce Jones
EUROG	Irma Chilton
NAIN AR GOLL!	Elwyn Ashford Jones
CYFRINACH BETSAN MORGAN	Gwenno Hywyn
Y GWYLWYR	Siân Teifi
Y BWGARTH	Nansi Pritchard
BWRW SWYN	Irma Chilton
DIWEDD Y GÂN . . .	Mair J. Parry
LOTI	Meinir Pierce Jones
MAC PYNC	Alys Jones
TRYSOR YN Y FYNWENT	J. Selwyn Lloyd
CYFRINACH AFON DDU	Eirlys Gruffydd
LOSIN Y DEWIN	W. J. Jones
CYNFFON ANTI MEG	Ray Evans
Y CYLCH LLACHAR	Gethin Huw Thomas
HAFAN FACH AM BYTH!	Gwenno Hywyn
'D.P.B. UN YN GALW!'	Urien Wiliam
PROFFESOR PWYNA!	Margiad Roberts
PARTI DA!	Irma Chilton